folio . b

ISBN : 2-07-051506-0

Numéro d'édition : 89050
Loi n° 49-956 du 16 juillet 1949
sur les publications destinées à la jeunesse
1er dépôt légal : septembre 1997
Dépôt légal : octobre 1998

Imprimé en Italie par la Editoriale Lloyd

Gallimard Jeunesse

au loup tordu !

PEF

folio . benjamin

Le jeune prince de Motordu
avait alors une dizaine d'années.
Comme il parlait à présent
parfaitement tordu,
ses parents lui accordaient
une grande liberté.
– Ne reviens pas trop tard,
conseillait tout de même sa maman,
la comtesse Carreau-Ligne
de Motordu.

– La nuit tombe vite, soulignait
à son tour son père, le duc
S. Thomas de Motordu.
– Oui papa ! A ce noir !
répondait ce taquin de Motordu.

Et le prince sortait son troupeau
de boutons.
– C'est parti ! criait-il.
Allez, roulez, et soyez sages !
Sinon, gare aux coups de baron,
parole de prince !

Notre jeune berger avait
pour habitude de mener ses boutons
sur une jolie colline fleurie.
Là, il s'allongeait dans l'herbe
et s'adressait à son vieux chien :

– File à la patte des boutons !
Surveille-les bien !
– Quoi ? Quoi ? aboyait ce chien
que le grand âge
avait rendu un peu sourd.

Un jour, le jeune Motordu somnolait
quand il entendit ces propos :
– Pardon, ma garçon,
je ne sais l'où je suis perdu...
Le petit berger se réveilla,
un loup se dressait devant lui !

– Bon jour, fit l'animal,
jeune suis pas d'ici,
je ne parle pas bon votre langue.
Et, en se grattant la tête,
le loup expliqua
qu'il était venu de l'étranger
spécialement pour manger
quelque chose de très bon,
mais dont, hélas, il ne
se rappelait pas le nom !

– Pourtant je sais que cette chose, confia-t-il, fait des bêêê... bêêê !
– Des bêtises, voulut l'aider le prince, des bégonias, des bérets ?
– Non, ça se termine par on…

– Des boulons, des croûtons,
des bonbons ?

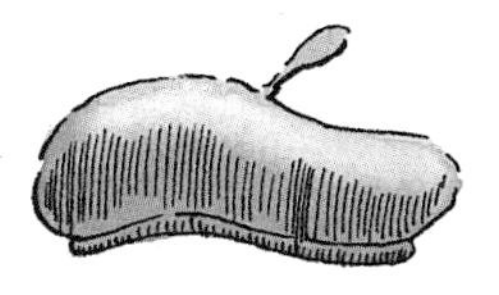

– Ça peut être bon… bon…,
hésita le loup.
– Mais non, protesta le jeune Motordu,
un loup ne mange pas

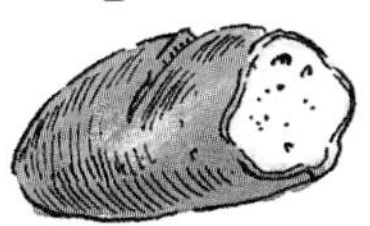

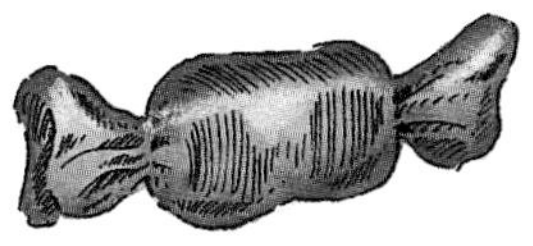

des bonbons, mais des boutons !
– Tout à vrai ! hurla le loup,
du bouton, du bouton !

– Comment ai-je pu loup plier ?
Puis l'animal se fit curieux :
– Des boutons, où puis-jean trouver ?
Moi encore jamais vu
ni mangé encore…

Le jeune prince tendit un bras
en direction de son troupeau.
– Ils sont là, mes gentils boutons !
Le loup leva une griffe.
– J'eux en manger peu ?
– Volontiers, l'autorisa Motordu,
et si vous avez encore faim
vous en trouverez partout !

Alors le loup préleva quelques
boutons et s'en fut les avaler
tout crus au pied de la colline.
Mais comme le berger l'avait
prévu, il eut encore faim
et s'attaqua à toutes les personnes
qu'il rencontra.

– Au secours ! au secours !
criaient-elles, un loup
nous arrache les boutons !

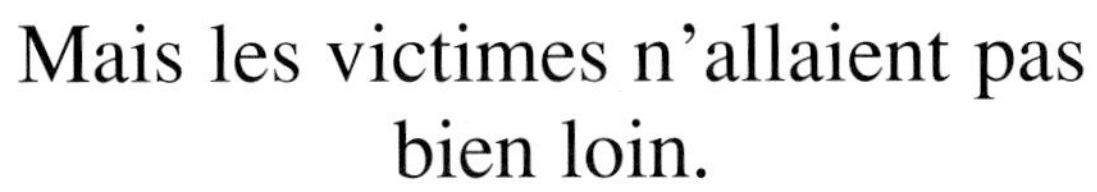

Mais les victimes n'allaient pas
bien loin.
Privés de boutons, les vêtements
tombaient à leurs pieds,
les empêchant ainsi de s'enfuir.
Un peu plus tard, le loup
retrouva le jeune prince de Motordu.

– C'est très bêêêête,
votre spécialité de boutons,
il faut en manger trop pour
ne plus savoir faim.
Chère aigrette d'avoir quitté
mon pays loin !
Le prince eut pitié de lui.
– Vous n'allez pas partir ainsi,
insista-t-il,

il faut être bien habillé pour voyager.
Il courut vers une petite cabane,
qui lui servait d'abri les jours de pluie,
et en rapporta une leste de sport
plus un grand talon.

Le loup
venu de l’étranger
se montra enchanté
et prit congé de son ami.
– Un instant, fit ce dernier,

vous oubliez quelque chose !
Leste et grand talon :
il y manque les moutons !

– C'est quoi, cela, les moutons ?
– Cher loup étranger,
fit le jeune prince,
sachez que les moutons
servent à maintenir vos habits.

Le berger attira à lui une demi-douzaine de jeunes moutons et les réunit à la leste et au grand talon.

– Comme mignon c'est ! s'extasia le loup. On en mangerait !

Le jeune prince de Motordu
se garda bien de répondre,
et le loup s'en fut ainsi,
dans ses abris bien moutonnés.
Puis le berger princier siffla
son chien et rassembla les boutons
qui lui restaient,

et retrouva ses parents devant
une bonne loupe de lentilles.
Bien sûr, il leur narra sa rencontre
avec le loup mais la sonnerie
du téléphone interrompit son récit :
– C'est pour toi, mon fils !
avertit le duc.

Le jeune Motordu saisit le combiné :
– Ah que... ah que, fit à l'autre bout du fil une voix que le jeune prince reconnut aussitôt.
Il chuchota à ses parents :
– Quand on parle du loup, on en voit l'ah que... !

– Bonsoir, cher loup,
comment allez-vous ?

– Ah que… je suis malheureux,
j'ai perdu tous mes moutons d'habit !

Et le loup raconta sa mésaventure.
En route il avait rencontré des enfants.
A la vue de ce loup portant fièrement
quelques moutons, ils s'étaient
jetés sur lui aux cris de :
– Il faut en découdre avec cet animal !
– Il ne doit pas dévorer ces moutons !
Le loup avait protesté, assurant

qu'il ne mangeait jamais de moutons
mais des boutons.
D'ailleurs un jeune berger
lui en avait offert tant et plus.

– N’est-ce pas, cher prince ?
– Tout à fée, lui accorda Motordu qui mordait à belles dents dans une baguette magique de pain. Continuez !
– Alors, poursuivit le loup, quand j’ai prononcé le nom de Motordu,

ces enfants sont partis
avec mes moutons en criant :
« Ah ! la belle lisse poire,
ah ! la belle lisse poire ! »

– Chenil comprends rien,
nom d'un chien ! se désola
le loup étranger.
Le prince reposa le téléphone.
Sa mère, à qui il raconta toute l'affaire,
le sermonna un peu :

– Il ne faut pas se moquer
des étrangers, énonça-t-elle,
leur langage est tordu,
mais eux, ils ne le font pas exprès !
– Hélas, ajouta le duc, ce loup
lointain va désormais passer le reste
de sa vie à se demander si
un mouton ça se coud,
et si un bouton ça se cuit.
Et le père du prince ajouta :
– Toute cette histoire m'a donné faim.
De quoi est composée la suite
du menu ?

– De fil et d’anneau, une recette à moi ! annonça la comtesse Carreau-Ligne.
– J’avais compris du filet d’agneau ! s’esclaffa le jeune berger. Décidément, j’ai l’air aussi bête que ce loup. Je ne me moquerai plus jamais de lui.

Mais son histoire est bien plus drôle
que celle du petit chaperon louche !

Et pour amuser ses parents,
le fils s'enveloppa dans sa carte écarlate, tout en faisant une affreuse grimace !

COLLECTIONNEZ

DANS LA COLLECTION FOLIO BENJAMIN

La belle lisse poire du prince de Motordu, n° 37

Le petit Motordu, n° 321

Au loup tordu !, n° 322

Motordu papa, n° 323

DANS LA COLLECTION FOLIO CADET

Dictionnaire des mots tordus, n° 192

Les belles lisses poires de France, n° 216

Le livre de nattes, n° 240

L'ivre de français, n° 246

Leçons de géoravie, 291

LES MOTORDU

Silence naturel / Tout sur le cor humain, n° 292
Réponses bêtes à des questions idiotes, n° 312
Motordu et les petits hommes vers, n° 329
Motordu a pâle au ventre, n° 330
Motordu sur la Botte d'Azur, n° 331
Motordu et le fantôme du chapeau, n° 332
Motordu au pas, au trot, au gras dos, n° 333
Motordu est le frère Noël, n° 334
Motordu, champignon olympique, n° 335
Motordu as à la télé, n° 336
Motordu et son père hoquet, n° 337

LE JEU DES MOTS TORDUS

Pour faire partie de la cour du prince de Motordu, il faut passer cette petite épreuve qui consiste à deviner des mots tordus grâce à ces dessins. (*Réponses en avant-dernière page*)

5
6
7
8

BIOGRAPHIE

La grand-mère de Pef, sage-femme, mettait les bébés au monde.
La maman de Pef, institutrice, leur enseignait l'écriture et la lecture.
Et Pef, lui, leur apprit à rire dans les livres.
Pef, de son vrai nom **P**ierre **E**lie **F**errier, naquit un jour de pluie, le 20 mai 1939. Mais le soleil vint le temps d'une minute saluer ce futur **p**etit **é**crivain **f**rançais, ou ce **p**élican **é**mu et **f**ragile, comme on voudra.
Amoureux des avions, des autos, des déserts, des rivières, des oiseaux, des orages, du monde et des gens du monde entier (ça en fait, du monde!), Pef en a mis du temps pour trouver son vrai métier.
Il fut tour à tour journaliste, photographe, essayeur de bolides, et c'est à trente-huit ans et deux enfants qu'il dédie son premier livre de jeunesse *Moi, ma grand-mère*

à la sienne, qui se demande quand son petit-fils sera enfin sérieux. Apparemment jamais…
Pef, qui trouve la plupart de ses idées dans sa propre enfance, a écrit ou illustré plus de cent quarante livres.
Ce qui signifie peut-être que son enfance ne s'est jamais arrêtée…
Pas du tout égoïste, il se régale avec

Le monstre poilu d'Henriette Bichonnier, réalise un dessin animé, *Les Pastagums,* avec Alain Serres, ou écrit l'opéra de *La belle lisse poire* qu'il monte entouré par deux mille cinq cents enfants des écoles de la Botte d'Azur.
Pour se reposer, Pef parcourt le monde à la recherche de glaçons et de billes de toutes les couleurs, de toutes les enfances. Chaque matin du trente-six du mois, Pef court sur les chemins de sa campagne, discute avec les alouettes, les crottes de lapin et les fossiles des Yvelines.
Comme les couleurs sont difficiles à dompter, c'est Geneviève, sa femme, ou Alexis, son fils, qui se chargent d'essuyer leurs pinceaux sur ses dessins.
Les meilleurs amis de Pef sont le vent, les nuages et trois petites étoiles qui, chaque hiver, viennent passer la nuit en sa compagnie.

RÉPONSES AU JEU

1. Barrette (baguette)

2. Cordeau (corbeau)

3. Pitres de la fenêtre (vitres de la fenêtre)

4. Feu dentifrice (feu d'artifice)

5. Barre fleurie (barbe fleurie)

6. Pipe électrique (pile électrique)

7. Faire l'assiette (faire la sieste)

8. Bulle à col roulé (pull à col roulé)

Si tu as aimé ce livre, voici d'autres titres de la collection folio.benjamin adaptés à ton âge

Janet et Allan Ahlberg Je veux une maman, 238 / Quentin la cambriole, 286
Quentin Blake Armeline Fourchedrue, 254 / Les cacatoès, 264
Tony Bradman / Tony Ross Michaël, 295
C. Diggory Shields / P. Meisel Je suis vraiment une princesse, 262
N. Gray / P. Dupasquier Un pays loin d'ici, 240
Helme Heine Un éléphant ça compte énormément, 46 / Fier de l'aile, 103 / Hans et Henriette, 292 / Prince Ours, 196
Eugène Ionesco / Etienne Delessert Conte N° 1, 80 / Conte N° 2, 81
James Joyce / Roger Blachon Le chat et le diable, 77
Alexis Lecaye / Antoon Krings Georges Gros-Dos a disparu, 282 / Où est passée Priss la poupée? 283 / Le tournevis mystérieux, 299 / La voiture de pompiers bleue, 298
Riki Levinson / Diane Goode Le regard dans les étoiles, 252
Rita Marshall / Etienne Delessert J'aime pas lire ! 278
Georgess McHargue / Michael Foreman Drôle de zoo, 2
David McKee Bernard et le monstre, 144
Clement C. Moore / Anita Lobel La magie de Noël, 255
Gerda Muller Mon arbre, 249
Arielle North Olson Joyeux Noël, 118
Hiawyn Oram / Susan Varley La fête de Benjamin Blaireau, 288
Hiawyn Oram / Tony Ross Princesse Seconde, 280/Un message pour le père Noël, 320
Diane Paterson Fais-moi un sourire, 155
Pef Aux fous les pompiers ! 284 / Cet amour de Bernard, 227 / Moi, ma grand-mère, 281 / Le petit Motordu, 321 / Au loup tordu!, 322 / La belle lisse poire du prince de Motordu, 37 / Motordu papa, 323
Jacques Prévert / Jacqueline Duhême En sortant de l'école, 114 / Le cancre, 219 Chanson des escargots qui vont…, 198 / Chanson pour les enfants l'hiver, 243 / Le gardien du phare…,180 / L'opéra de la lune, 141 / Page d'écriture, 115 / La pêche à la baleine, 245
J. Prévert / M. Gard Chanson des cireurs de souliers, 132 / Chanson pour chanter à tue-tête…, 120
Jacques Prévert / Elsa Henriquez Le dromadaire mécontent, 244
Serge Prokofiev / Erna Voigt Pierre et le loup, 68
Tony Ross Le garçon qui criait au loup, 156 / Hansel et Gretel, 222
William Steig La surprenante histoire du docteur De Soto, 259 / Amos et Boris, 293
Làszlo Varvasovszky Jérémie au pays des ombres, 60
Martin Waddell / P. Dupasquier Vers l'Ouest, 149
Jeanne Willis / Ruth Brown Le géant de la forêt, 273
J. Willis / M. Chamberlain L'histoire de Kiki Grabouille, 191
John Yeoman / Quentin Blake La révolte des lavandières, 33
M. Zemach / H. et K. Zemach La princesse et le crapaud, 253